악마판사

오리지널 대본집

B 컷 들

일러두기

『악마판사 오리지널 대본집 B컷들』은 초고에는 있었으나 감독 및 제작사의 의견 수렴 과정과 초고 수정 과정에서 작가가 최종적으로 삭제하고 다른 신으로 대체하기로 결정해 완성 대본에 포함하지 않은 신들을 모은 소책자입니다. 『악마판사 오리지널 대본집』에는 촬영 기간이나 회차별 방송 시간 초과, 심의 문제 등으로 인해 촬영되지 못했던 신이나 촬영 후 편집되었지만 작가가 최종적으로 포함하기로 결정한 신들이 포함되어 있습니다.

1권 차례

2권 차례

작가의 말

주요 등장인물

용어 설명

1부

코멘터리: 초고는 전체 이야기의 끝에서 벌어질 사건(김가온이 민정호와 함께 정의의 여신상에 몸을 묶고 자폭하려는데, 강요한이 나타나 김가온을 구하고 대법정을 폭파하는 에피소드)으로 1부의 문을 열고 닫는 구성을 취했다. 1부 이후 신들에서도 김가온의 반대편에 민정호가 묶여 있는 모습을 잠시 보여주는 등 미래에 벌어질 일을 조금씩 조금씩 드러내며 궁금증을 야기하는 구성을 구상한 것이다. 문제는 최종회 촬영이 1회 방송 직전까지 지연되거나 현장 상황에 맞춰 변형될 경우, 1부 편집 및 방송이 어려워진다는 점이었다. 제작진의 고충을 감안하여 이 부분의 설정은 삭제했다.

1부. S#1. 대법원 (저녁)

대법원 건물 원경에서 시작해 점차 클로즈업. 대법원 입구를 지나 계단을 따라 훑어가면 로비가 나온다.

1부. S#2. 대법원 로비 (저녁)

역대 대법원장의 흉상이 줄지어 놓여 있는 로비를 지나면 웅

장한 대법정의 문이 굳게 닫혀 있다.

1부. S#3. 대법정 안 (저녁)

높은 단상 위에 법대가 자리하고 있고, 그 가운데에는 칼과 저울을 든 정의의 여신상이 위압적으로 서 있다. 재판이 없는 날인지 불이 꺼져 있는 대법정. 그런데 정의의 여신상 발치에 누군가 묶여 있는 모습이 어슴푸레하게 보이기 시작한다. 클로즈업하면, 청년(김가온)이다. 흐트러진 머리칼, 찢어져 피가 흐르는 입술. 넋이 나간 듯한 그의 시선을 따라가보면, 어떤 물체가 바닥에 놓여 있다. 어둠 속에서 서서히 드러나는 그 물체는, 폭탄이다! 공사 현장용 폭탄을 뚫어져라 쳐다보다가 체념한 듯 눈을 질끈 감는 김가온, 입에서는 신음처럼 나지막한 혼잣말이 배어나온다.

김가온   …요한!

눈을 질끈 감으니 첫날이 떠오른다. 대법원으로 첫 출근하던 날, 그리고, 강요한과 처음 만난 날.

1부. S#4. 대법원 정문 앞 (낮)

6개월 전. 1부 3신과는 대조적으로 의욕 넘치고 생기 있는 표정으로 대법원 정문 앞에 서서 당당하게 대법원을 바라보는 정장 차림의 김가온. 그런데, 대법원 정문 경비가 삼엄하다. 출입을 통제하는 철제 구조물이 쌓여 있다. 총을 앞으로 멘 무장경비대원이 김가온에게 다가온다.

경비대   무슨 일로 오셨습니까?
김가온   (신분증을 보여주며) 오늘부로 여기 파견근무 나왔습니다.
경비대   아, 시법재판부 판사님이시군요. (경례하더니 정문을 통과하게 해준다)

1부. S#48. 강요한 분장실 (낮)

강요한, 분장실 거울 앞에 앉아 무표정하게 거울을 보다가, 도구함을 열고 천천히 분장을 시작한다. 무대에 오를 연극배우처럼 눈썹을 그리고, 가볍게 분칠을 해서 잡티를 가리고, 얼굴에 윤곽을 더하는 강요한, 분장을 마치고 거울을 보는데 가면을 번갈아 쓰듯 표정이 서서히 바뀐다. 부드럽고 매혹적인 미소를 띤 얼굴에서, 깊은 슬픔에 잠긴 침통한 모습으로,

다시 불꽃같은 분노가 이글거리는 표정으로. 그러고는 모든
표정이 지워지고 무표정만이 남는다.

1부. S#83. 대법정 (저녁)

6개월 후. 폭탄과 함께 정의의 여신상에 묶여 있는 김가온, 뭔
가를 본 것처럼 흠칫 놀라며 고개를 든다. 공포와 경악으로 눈
이 커지다가 질끈 감기는 순간, 번쩍! 거대한 폭발이 정의의
여신상과 대법정을 날려버리고, 대법원과 정의의 신전은 화
염에 휩싸인다.

4부

코멘터리: 초고의 표현이 과하다는 의견들이 있어 최종 신은 톤 다운을 했다.

4부. S#28. 강요한의 차 안 (밤)

김가온, 입을 꾹 다문 채 운전하고 있다. 강요한, 편한 자세로
창밖을 보다가 김가온을 힐끗 본다.

강요한   …표정이 왜 그래?

김가온   (묵묵부답)

강요한   …귀도 어두워졌나?

김가온   (묵묵부답)

강요한   (갑자기 김가온의 오른쪽 무릎을 힘주어 꾹 눌러 액셀을 끝까
          지 밟게 만든다!)

김가온   흐에에엑!

커브를 돌던 차의 속도계가 시속 200킬로미터를 넘어 미친듯
이 올라간다. 가드레일을 들이받고 한강으로 뛰어들 것처럼
총알같이 달려나가는 스포츠카. 김가온, 필사적으로 핸들을
돌려 코너를 빠져나온다.

김가온   야 이 개, 미친 새……! (차마 마지막 말을 잇지 못한다)

강요한   (즐거워 죽겠다. 두 팔을 죽 펴 머리 뒤로 손깍지를 끼며) 워
          후!

김가온   (가까스로 차를 안정시키고는) 죽고 싶은 겁니까!

강요한   (묘하게 쓸쓸한 미소를 지으며 창밖만 본다)

김가온   (있는 대로 열받아서) 예?!

강요한   …얼마나 다른데?

김가온   예?

강요한   …죽는 거랑.

김가온   (달라진 어조에 어안이 벙벙해져 강요한을 쳐다본다)

강요한   (만감이 교차하는 듯 깊고 처연한 표정으로) …사는 거.

5부

코멘터리: 5부 초고에서는 성당 화재 사건에 대해 듣고 난 다음날 아침, 김가온이 곧바로 강요한에게 자신이 강요한을 의심하고 추적해왔음을 고백한 후 자신의 집으로 돌아가도록 했다. 그리고 5부 엔딩에서 강요한이 마치 재단의 짓인 것처럼 위장하고 김가온의 집을 폭파해 김가온을 자신의 저택으로 돌아오게 만들었다(정선아도 재희에게 같은 지시를 했는데 강요한의 지시를 받은 K가 한발 앞선 상황이었다). 매력적인 엔딩이기는 하나, 김가온과 저택 사람들 사이의 관계가 보다 깊게 형성된 후에 저택을 나와야 떠나는 김가온도, 보내는 저택 사람들도, 깊은 감정을 표현할 수 있을 것 같다는 의견 등을 감안하여 최종적으로는 김가온이 저택을 떠나는 이야기를 12부로 미루었다. 강요한은 쫓아내지 않을 테니 그냥 있으라며 김가온을 슬쩍 붙잡고, 강요한에 대한 의심과 연민으로 혼란스

러운 김가온은 망설이며 저택에 남아 있는 상황으로 설정을 바꿨다.

5부. S#4. 강요한의 집, 서재 (낮)

정장 차림으로 출근 준비하며 서류 가방을 챙기는 강요한.

김가온(E) …이젠 괜찮아 보이네요.

강요한 (힐끗 김가온을 쳐다본다) 뭐지?

김가온 제 집으로 돌아가겠습니다.

강요한 (묘한 미소를 띠며) …의외네. 이 핑계 저 핑계 대며 버티더니.

김가온 ……

강요한 더 캐보고 싶은 게 없어지기라도 한 건가?

김가온 (순간 표정 굳었다가 씁쓸하게 미소 지으며) …캐고 다닌 거, 아니라곤 못하겠네요. 출근한 첫날부터 의심했으니까.

강요한 (흥미롭게 김가온을 응시하며) 의심이라…… 생각도 못했네. (팔짱을 끼며) 이유가 뭐지?

김가온 전 마법 같은 건 믿지 않으니까요.

강요한 그게 무슨 소리지?

김가온 부장님의 최근 3년간 재판 기록을 다 찾아봤습니다. 놀랍더 군요. 결정적 증인이 갑자기 제 발로 나타나고, 한사코 잡아 떼던 피고인이 갑자기 펑펑 울며 자백하고.

강요한   (미소 지으며) 그게 왜 이상하지? 인간이란 원래 선하잖아. 순간의 실수로 잘못을 했더라도, 진심으로 뉘우칠 수도 있는 거 아닌가?

김가온   (강요한을 노려보며) …그럴 수 있지요. 인간은.

강요한   그럼 뭐가 문제지?

김가온   그게 특정 판사의 법정에서만 이루어지는 건 이상하죠. 그것도 그전에는 매뉴얼대로만, 기계처럼 재판하던 판사 법정에서.

강요한   기계라……

김가온   (강요한을 응시하며) …사냥꾼은 철저히 자기 냄새를 숨기죠. 때가 무르익을, 그때까지.

강요한   (김가온을 말없이 바라본다)

강요한의 과거 재판 신이 이어진다.

김가온   (굳은 표정으로 강요한을 보다가) …그동안 감사했습니다. (인사한 후 나간다)

이후 김가온이 강요한의 저택에서 나가는 시퀀스가 이어진다.

5부. S#. 정선아의 집, 침실 (밤)

파티를 마친 후 샤워를 한 정선아, 가운 차림으로 화장대 앞에
앉아 있다.

재희(E)　김가온, 민정호한테 재단 얘길 나불댄 거 같애.

정선아　그래?

재희, 방으로 들어온다. 아까와는 달리 스스럼없는 태도다.

재희　걔 친구, 윤수현 경위라는 애도 이것저것 들쑤시고 다니는
　　　　거 같고.

정선아　저런, 우리 강요한 판사님의 강아지, 귀엽게만 봤는데 못쓰
　　　　겠네?

재희　언니, 그냥 놔둘 거야? 어떡할까?

정선아　(생글생글 웃으며) 글쎄. 좀 놀아볼까?

정선아, 화장대 위 보석함처럼 예쁜 상자에서 뭔가를 꺼내 손
바닥 위에 놓는다.

재희　(질렸다는 표정으로 고개를 절레절레 저으며) 쫌! 매번 그렇
　　　　게 요란하게 해야 되겠어?

정선아   (눈을 동그랗게 뜨며) 어머? 얘, 뭐든 화려한 게 좋은 거야. 칙칙한 게 뭐가 좋아?

재희   저기요, 늘 뒷수습하는 건 나거든? 진짜 극한직업이라니까……

정선아   (황홀해하는 눈빛으로 손바닥 위에 놓인 초소형 폭탄을 이리저리 보며) 폭탄치곤, 너무 이쁜 거 아니니. 이 아이……

5부. S#. 김가온 집 앞 골목길 (밤)

김가온의 집을 향해 함께 걷고 있는 윤수현과 김가온.

윤수현   가온아, 그때 증인 섰던 장기현, 내가 계속 주시하고 있었는데 말야.

김가온   (딱 멈추며) 수현아.

윤수현   응?

김가온   너 이제 그만해라. 이쪽 일과 자꾸 얽히는 거, 위험할 거 같다.

윤수현   장난쳐? 이제 와서 빠지라고?

김가온   필요하면 정식 라인으로 수사 의뢰할게. 여하튼 넌 좀 빠져. 내가 알아서 할게.

윤수현   (김가온의 어깨를 툭 치며) 야!

그 순간, 펑! 소리와 함께 건물 옥상에 있는 김가온의 집이 폭발하며 화염에 싸인다. 날아오는 파편을 피해 본능적으로 윤수현을 감싸며 바닥에 쓰러지는 김가온. 마치 불꽃놀이처럼 연쇄적으로 펑! 펑! 소리를 내며 밤하늘로 화염이 피어오른다. 김가온이 정성껏 키우던 꽃과 나무들, 살림집, 세간 모두 불타오른다.

윤수현   (몸을 일으키며 애타게) 가온아! 가온아, 괜찮아?

김가온   (불똥에 맞아 옷이 좀 탔고, 파편에 머리를 맞았는지 피가 조금 흐른다. 얼굴을 찡그리며) …응, 괜찮아.

윤수현   (불타는 김가온의 집을 보며 안타깝게) 어쩌니…… 니 집…… 어떤 놈들이야 대체!

김가온   (멍하다) …넌 괜찮은 거지?

윤수현   (눈물이 맺힌다. 김가온을 부축하며) 내가 문제야 지금? 안 되겠다. 일단 강요한네 집으로 가!

김가온   강요한?

윤수현   거기가 제일 안전하다며. 지금 이것저것 가릴 상황이야!

김가온   (망설인다) 수현아……

5부. S#. 강요한의 집, 서재 (밤)

책상에 앉아 전화를 받는 강요한.

강요한   (놀란다) 그래? 다친 데는 없고? 그러든지. (퉁명스럽게) 미
         안할 건 없고. (전화를 끊는다)

         무표정하게 의자 뒤로 몸을 기대 생각에 잠기는 강요한.

강요한   (앞에 있는 뭔가를 유심히 보며 혼잣말처럼) …이건 왜 가져왔
         지?
K   (그림자처럼 강요한 뒤에 서 있다) …죄송합니다. 저도 모르게.

         강요한의 시선을 따라가면, 책상 위에 놓여 있는 것은 김가온
         이 아버지 어머니와 함께 교복 차림으로 활짝 웃고 있는, 가족
         사진이다. 무표정하게 김가온의 얼굴을 빤히 바라보고 있는
         강요한의 얼굴 위로 타이틀, **악. 마. 판. 사.**

10부

코멘터리(10부 초반): 강요한에게 실망한 오진주가 정선아의 유혹에 넘어가 정
선아가 마련한 기회를 통해 대중의 주목을 받으며 앞으로 나서기 시작하는 시퀀

스. 비록 배후에는 정선아가 있지만, 대중의 마음을 사로잡을 수 있었던 것은 오진주가 본래 가진 인간적인 매력 자체였음을 표현하고 싶었다. 다만 분량상의 문제로 시퀀스를 축약하여 판사실에서 인터뷰하는 신으로 수정하게 되었다.

10부. S#5. 방송 스튜디오 출입구 밖 (밤)

잔뜩 긴장한 오진주, 서성이고 있는데 PD가 다가온다.

PD   이제 곧 들어가시면 됩니다, 판사님.

오진주   (울상을 하고) 어떡해요! 생방이라니까 너무 떨려서……

PD   에이, 재판도 생방인데요 뭘……

오진주   (도끼눈을 뜨며) 이게 그거랑 같아요!

PD   (씩 웃으며) 잘하실 겁니다. (다시 스튜디오로 들어간다)

오진주   (심호흡을 하다가, 문득 목에 건 진주 목걸이를 만지작거린다)

10부. S#5-1. 방송 스튜디오 (밤)

러그 위 탁자에 간단한 과자와 머그컵이 놓여 있는 편안한 분위기의 일대일 토크쇼. 의자에 앉아 있는 아나운서와 오진주.

아나운서　오진주 판사님, 시범재판부를 대표해서 나와주셨는데, 시청
　　　　자 여러분께 인사 말씀 한마디 부탁드립니다.

오진주　（잔뜩 긴장한 표정으로） 아, 네…… 안녕하세요, 법원에 근무
　　　　하는 오진주……

아나운서　（O.L.） 오판사님.

오진주　네?

아나운서　（묘하게 웃으며） 저 말고, （손짓하며） 카메라를 좀 봐주시죠.

오진주　네? 죄송합니다! （당황하며 얼른 몸을 돌리다가 그만 앞에 놓
　　　　인 머그컵을 건드린다） 어머!

　　　　물을 쏟으며 바닥에 떨어지는 컵. 오진주, 옷이 젖는데도 정
　　　　신없이 얼른 컵부터 집어 탁자 위에 올린다. 러그에 떨어져서
　　　　컵이 깨지진 않았다.

아나운서　저런저런, 괜찮으니 옷부터 좀 닦으시죠. 젖은 것 같은데.

오진주　（아나운서가 내미는 손수건을 받아 대충 옷을 닦으며） 죄송합
　　　　니다. 제가 정신이 없네요.

아나운서　재판 때하고는 영 다른 이미지신데요? 뭐, 인간적이고 좋습
　　　　니다. 하하하. （묘하게 비웃는 듯하다）

오진주　（표정이 굳는다）

아나운서　자, 이제 말씀 좀 나눠볼까요? 시범재판부, 아무나 갈 수 있
　　　　는 곳은 아닐 텐데요. 우리 오판사님도, 강요한 판사님처럼

큰 사건을 많이 다뤄보셨겠죠? 정말 대단하십니다. (뻔히 알면서 질문한다. 비꼬는 듯한 표정이다)

PD   (멀리서 작게 혼잣말로) 아이씨, 저 인간 왜 저래…… (안타까운 표정으로 쳐다본다)

오진주   (당황하며) 아, 아니에요. 전 시골 작은 지원에서 소액 사건만 하다가 오게 됐습니다.

아나운서 오, 뜻이 있으셔서 일부러 고향에서 일하셨던 거겠죠?

오진주   …아닙니다. 임관 성적이 그닥 신통치 않아서요.

아나운서 아…… 그러시군요. 어유 이런, 제가 괜한 질문을 드렸습니다?

오진주   아닙니다. 괜찮습니다. (미소 짓는다)

아나운서 (묘하게 웃으며) …어떻게, 힘에 좀 부치지는 않으신가요? 전 국민의 관심을 받으며 일하시는데. 많이 피곤하시죠?

오진주   (눈을 동그랗게 뜨며) 네? 제가 어떻게 피곤하겠어요. 얼마나 많은 분들이 응원해주시는데요.

아나운서 (의외의 반응에 살짝 당황하며) 아…… 그러신가요?

오진주   (활짝 웃으며) 네! 판사실로 편지를 보내시는 분들이 많으세요.

PD   (눈이 번쩍 빛나며 얼른 손짓을 한다)

아나운서 옆 큰 모니터 화면에 판사실 오진주 책상 뒤쪽 벽 모습이 비친다. '오판사님 파이팅!' '법정에서 가장 빛나는 진주' 등 짧은 멘트가 적힌 포스트잇과 예쁜 편지지에 길게 적은

편지까지, 팬들이 전한 애정 어린 메시지들을 하나하나 꼼꼼히 벽에 붙여둔 오진주.

오진주   저를 믿어주는 사람들이 있다는 게, 얼마나 행복한 일인데요.

카메라, 벅찬 표정의 오진주를 클로즈업한다.

PD   (감격한 표정으로) …됐어!

스튜디오 안 스태프들도 홀린 듯이 오진주를 본다. 아나운서만 똥 씹은 표정이다.

10부. S#5-2. 정선아의 집 (밤)

TV로 지켜보던 정선아, 미소를 짓는다. TV를 끄더니, 전화를 거는 정선아.

정선아   박회장님?
박두만(F)   어, 정이사장. 웬일이셔?
정선아   회장님네 메인 앵커, 이제 좀 바꿀 때 되지 않았나요?
박두만(F)   그래? 어…… 그 친구가 좀 올드하긴 해도 생긴 게 괜찮아서 인기가……

정선아   (O.L.) 난 딱, 밥맛이던데. (생긋 웃는다)

박두만(F) 그래? 우리 이사장님이 싫으시다면 바꿔야지. 알았어. 내 조
          치할게!

정선아   네, 회장님. (씨익 웃으며 전화를 끊는다)

**코멘터리(10부 23-1신): 죽창 아지트를 습격하는 신에 원래 K도 강요한과 함
께 나타나 격투를 벌이고, K와 강요한 사이의 서사도 일부 드러내는 내용이었는
데, 이 부분은 좀더 간결하고 경쾌하게 지나가는 게 좋겠다는 의견들이 있어서
축약하게 되었다.**

10부. S#23-1. 건물 안 (밤)

정신 차린 사내들, 만만치 않게 반격한다. 강요한, 김가온이
위기에 놓이면 무심한 척 다 커버해주면서 싸우고 있다. 강요
한이 휘두르는 목검에 하나둘씩 쓰러져가면서 상황이 거의 다
정리되는데, 엎드려 있던 한 사내가 갑자기 일어나서 강요한
의 머리를 쇠파이프로 치려 한다!

김가온   안 돼! (몸을 날려 사내를 덮친다)

강요한, 김가온 덕에 머리에 맞지는 않았지만 어깨를 맞았다. 찡그리며 돌아서는 강요한. 그때 사내, 자신을 붙잡는 김가온을 팔꿈치로 가격한다. 김가온이 고통스러워하며 웅크리는 사이 사내, 김가온을 내리치려는데, 강요한이 무시무시한 힘으로 사내의 팔을 뒤로 비튼다. 고통스러워하는 사내. 분노로 이글거리는 강요한, 망설임 없이 목검으로 사내의 목을 찌르려(또는 머리를 내리치려) 하는데! 이때, 갑자기 K가 강요한의 팔을 붙잡는다.

강요한   (노려보며) 뭐하는 짓이지?

K   …손에 피를 묻히는 건, 제 역할입니다. (강요한의 손에서 목
         검을 빼앗더니 손잡이 쪽으로 쿵, 사내의 머리를 친다)

사내, 쓰러진다.

K   (강요한을 보며) …그게 약속 아니었습니까.

강요한   (말없이 K를 바라본다)

사내들, 서로 부축하며 도망가기 시작한다.

김가온   (놀라 강요한에게) 잡아서 배후를 캐야 되는 거 아닙니까?

강요한   놔둬. 저들이나 우리나, 공개적으로 나설 입장은 못 돼.

김가온   그래도······

강요한   광수대 경위님께서 죽창을 잡으면 충분해. 그 정도는 하겠
         지?

**코멘터리(10부 31신, 34-1신): 역시 10부 초고에 있던 신들인데, 10부는 죽창
재판에 집중하며 스피디하게 진행하면 좋겠다는 의견 등을 감안하여 삭제했다.**

10부. S#31. 디저트 카페 (낮)

       가지가지 이쁜 디저트를 시켜놓은 김가온, 윤수현, 엘리야.
       엘리야, 스푼을 들어 도도한 표정으로 한입 베어먹고 있다.

윤수현   엘리야, 정말 대단하더라. 어떻게 빌딩 출입문까지 해킹한
         거니?

엘리야   (도도하고 시크하게) ···설명하려면 길어. 전문적인 거라.

김가온   여하튼 니 덕분에 잡았다. 많이 먹어.

엘리야   근데 그때 왜 그렇게 급히 뛰어나갔어? 언니가 그런 놈 하나
         혼자 못 잡을까봐?

윤수현   (눈이 반짝이며) 오~ 그랬었어? 애가 그렇게 급히 뛰어나갔
         었어? (김가온을 보며 싱글거린다) 왜 그랬을까? 왜에에?

김가온   (찡그리며) 좀! 못 미더워 그랬다. 됐냐? 다리 다친 건 좀 어

때?

윤수현 어…… 뭐 별거 아냐.

김가온 (허리를 숙이며) 봐봐.

윤수현 보긴 뭘, 야, (김가온이 바지 위로 다친 곳 근처에 손을 대자) 아얏! (찡그리며 얼른 다리를 뒤로 숨긴다)

김가온 병원부터 가자. 너 또 일 바쁘다고 신경 안 썼지.

윤수현 (좋으면서 괜히) 얘는 별것도 아닌 걸 가지구 참 내…… (웃음이 배어난다)

엘리야 (둘을 빤히 쳐다보며) 저기요? 나 아직 여기 있거든?

윤수현 (그제야 정신 차리며) 어, 엘리야, 미안. 우리끼리 너무 떠들었지?

엘리야 (김가온과 윤수현을 못마땅한 눈으로 쳐다보다가 스푼을 딱 내려놓으며) 이거 맛없어. 너무 달달해. …징그럽게.

김가온 (눈치 없이) 그래? 너무 달면 녹차 케이크 시켜줄까?

엘리야 (하? 어이없다는 표정으로 팔짱을 끼고 김가온을 쳐다보더니 갑자기) …내가 스무 살이면 가온은 몇 살이야?

김가온 응? 글쎄…… 니가 열여섯이니 4년 후면, 나 서른셋이네.

엘리야 와, 완전 늙었다.

김가온 (어이가 없다) 뭐?

엘리야 (도도하고 새침하게) 나 스무 살이면 진~ 짜 이쁠 텐데. 안됐다. 늙어서. (김가온과 윤수현을 보며) 둘 다.

김가온 (황당하다) 뭐라는 거야, 진짜.

윤수현　(풋 웃더니 장난스럽게 엘리야를 노려보며) 으이그. 이 요물
　　　　덩어리!

엘리야　칫. (고개를 돌린다)

10부. S#34-1. 강요한의 집, 서재 (밤)

강요한　또 그 집에서 윤수현과 만나고 있단 말이지.

K　　　네.

강요한　둘이서 또 성당 화재 건을 캐고 있는 건 아닌가. 그 집. 도청
　　　　은 해봤나?

K　　　그런 건 아닌 것 같습니다. 사소한······ 잡담뿐이었습니다.

강요한　특이사항 있으면 즉시 얘기해.

K　　　네. (나가려다가 멈추더니) ···말씀드릴 게 있습니다.

강요한　뭐지?

K　　　···위험한 일에는 직접 나서지 않으셨으면 합니다.

강요한　뭐? 아······ 김가온 구하러 갔던 거 말인가?

K　　　(강요한을 응시하며) 판사님께 무슨 일이라도 생기면, 모든
　　　　게 끝입니다. 좀더 신중해주십시오.

강요한　(차갑게) 내 일은 내가 알아서 해. 신경 꺼.

K　　　(끓어오르는 감정을 억누르며) ···모든 걸 걸고 판사님을 돕는
　　　　사람들이 있지 않습니까. 그분들 생각은 하시는 겁니까?!

강요한   (K를 쳐다보다가 툭 던지듯) …니 생각은 해.

K   (허를 찔린 듯) 네?

강요한   (천천히 일어서며) 어차피 안 되는 싸움인 걸 알면서 나한테
         건 사람들이잖아. 빚 같은 건 없어. (K의 어깨에 손을 올리
         며) …그래도 니 복수는 하고 갈게. 내가 언제, 어떻게 되더
         라도.

K   …판사님! (울컥하며 고개를 숙인다)

강요한   (천천히 무표정해진다)

11부

코멘터리: 누구와도 함께 놀아보지 못한 강요한과 엘리야를 위해 김가온이 트럼
프 게임을 제안하는 시퀀스. 솔직히는 강요한과 엘리야가 이마에 카드를 붙인 채
인디언 포커를 하는 그림이 재미있을 것 같아서 떠올린 신인데, 다양한 카드
게임의 룰을 시청자들에게 일일이 설명할 수 없어 보다 간단한 젠가 게임으로 변
경하였다. 이 시퀀스 직후 김가온이 윤수현을 만나 근래 느낀 점들을 털어놓는
신들이 이어지는데, 너무 길다는 의견들이 있어 축약하게 되었다.

11부. S#17. 강요한의 저택, 주방 (밤)

즐거운 표정으로 식탁 위에 테이블보를 깔고 그 가운데에 트럼프 카드를 놓는 김가온. 설거지를 하던 지영옥이 의아한 눈빛으로 본다.

지영옥 뭐하시는 겁니까.

김가온 이 집도 좀 같이 게임도 하고 놀면 좋잖아요? 아주머니도 하셔야 돼요. (싱긋 웃는다)

지영옥 (말도 안 되는 소리를 들었다는 듯 눈이 커지더니) …강씨 집안 사람들하고 게임을 한다고요?

김가온 (미소 지으며) 네!

지영옥 (다시 설거지를 하며) 저는 사양하겠습니다. 다시 한번 생각해보시는 게 좋을 겁니다.

김가온 (고개를 갸우뚱하며) 예에?

11부. S#17-1. 강요한의 저택, 엘리야의 방 (밤)

방문을 열고 빼꼼히 고개를 내민 김가온. 엘리야, 노트북 키보드를 치던 중이다.

김가온   뭐해, 빨리 내려오라니까. (싱긋 웃는다)

엘리야   (귀찮다는 듯) 아, 뭔데? (김가온의 싱글거리는 표정을 보더니) 근데 요즘 뭐 좋은 일 있었어? 뭔가 신이 난 거 같은데……

김가온   (싱긋 웃으며) 니 기분 탓이겠지~ 어서 내려와~ (사라진다)

엘리야   저 표정 뭐야, 기분 나쁘게……

11부. S#21. 강요한의 저택, 서재 (밤)

서가 앞에 서서 책을 넘기고 있는 강요한. 김가온이 불쑥 입구에 나타난다.

김가온   (싱긋 웃으며) 부장님~ 주방으로 오세요~ 빨리요~ (사라진다)

강요한   (떨떠름하게) 저 표정 뭐지? 기분 나쁘게……

11부. S#22. 강요한의 저택, 주방 (밤)

카드가 세팅된 식탁에 둘러앉은 강요한 일가. 김가온 혼자 생글생글 웃고 있고 강요한과 엘리야는 똥 씹은 표정이다.

강요한　…지금 이거 하자고 내 독서를 방해한 건가?

엘리야　이거 하자고 내 코딩 숙제를 방해한 거야?

김가온　자자, 그러지들 말고. 식구들끼리 같이 놀기도 좀 하고 그래요. 이 집엔 혼자 놀기의 달인들밖에 없는 거 같애. 대화도 집사하고만 하고.

집사　부르셨습니까? 가온 주인님.

김가온　어…… 쏘리. 부른 거 아니었어~ 수고~ (카드를 집어 척척 섞으며) 자, 그럼 뭘 해볼까요? 머리 좋은 사람들이니 카드게임도 고수일 거 같은데.

그런데 엘리야와 강요한, 김가온과 눈을 마주치지 않고 외면한다. 고개를 갸우뚱하는 김가온.

김가온　(둘을 번갈아 의아한 표정으로 보더니) 설마…… 아예 하나도 모르는 거야? (황당하다) 둘 다? (강요한을 보며) 카드 탑은 그렇게 기가 막히게 쌓으면서?

강요한　책 읽을 시간도 부족한데 쓸데없이! (일어서려 한다)

김가온　엘리야하고 5분 이상 마주 앉아본 적 있어요? 싸우지 않고?

강요한　(움찔하더니 슬그머니 앉는다)

김가온　집사?

집사　네, 가온 도련님.

김가온　여기 있는 아싸 두 분한테 카드 게임 몇 가지 좀 설명해드려.

쉬운 걸로. 원카드부터.

11부. S#23. 강요한의 저택, 주방 (밤)

원카드 게임중이다. 강요한과 엘리야는 카드를 여러 장 들고
있고 김가온은 두 장을 든 채 자기 차례에 하나 내려놓고 원카
드를 외치려는데, 무표정한 강요한이 블랙 조커를 툭 내려놓
는다. 똥 씹은 표정으로 열 장을 받아가는 김가온.
다시 원카드 게임중이다. 이번에는 반대 방향으로 돌고 있다.
이번에는 한 장만 든 채 자기 순서만 기다리고 있는 김가온.
그런데 김가온 앞에서 엘리야가 심드렁한 표정으로 컬러 조커
를 툭 내려놓는다. 열받는 표정으로 열다섯 장을 받아가는 김
가온.

엘리야   너무 단순하잖아. 뭐 딴 거 없어?

이번엔 홀라 게임이다. 손에 수북이 카드를 들고 있던 강요
한, 엘리야가 카드 한 장을 버리자 냉큼 집어든다.

강요한   땡큐.

들고 있던 카드 전체를 한번에 바닥에 척척 내려놓으며 털어
버리는 강요한.

엘리야   (약오른 듯 강요한을 노려보며) 다시 해!

다시 홀라 게임중이다. 엘리야, 보란듯이 자기 손에 들고 있
던 패들을 한번에 전부 내려놓으며 강요한을 향해 비웃듯 웃
는다.

엘리야   하!
김가온   (질렸다는 듯) …설마 카드 순서를 전부 외운 거야?
엘리야   보다보니 외워지는 걸 어쩌라고!
김가온   (고개를 절레절레 저으며) 안 되겠다. 도둑잡기나 하자.

완벽한 포커페이스의 강요한, 손에 조커(도둑)를 포함한 카
드 석 장을 들고 있다. 잔뜩 긴장한 표정의 엘리야, 강요한의
카드를 차례로 만지작거리며 표정을 살피지만 아무런 변화가
없다. 필사적으로 수를 읽으려 하지만 방법이 없어 가운데 카
드를 확 뽑는데, 조커다. 표정이 확 구겨지는 엘리야. 얄밉게
씨익 웃는 강요한.

김가온   (지친 표정으로) 이제 그만할까?

엘리야   (성질내며) 너나 그만해! 난 아직 멀었어!

김가온   하아……

결국 김가온은 포기한 채 멀찌감치 지영옥 옆에 서서 두 사람
의 불꽃 배틀을 구경만 하고 있다. 이제 엘리야와 강요한은 인
디언 포커로 게임을 바꿔, 상대방에게만 보이게 자기 이마에
카드를 붙인 후 가운데 놓인 칩으로 베팅중이다. 이마에 카드
를 붙인 채 엄청나게 심각한 표정들이 가관이다.

김가온   …두 시간째 저러고 있는데 괜찮을까요?

지영옥   다시 생각해보시라고 했잖습니까.

엘리야, 이겼는지 환호하며 강요한의 손목을 매섭게 때리고 있
다(칩으로 베팅하지만 이긴 사람이 손목을 때리기로 했다). 강요
한, 오만상을 짓다가 고개를 숙이는데 감출 수 없는 미소가 배
어나온다. 강요한의 미소를 눈치챈 김가온, 흐뭇하게 웃는다.

11부. S#24. 익선동 음식점 (낮)

낡은 한옥을 개조한 음식점에서 함께 밥을 먹고 있는 김가온
과 윤수현. 김가온의 표정이 밝다.

윤수현   (고개를 갸웃하며) 김가온, 뭐 좋은 일 있냐? 뭔가 분위기가 달라진 거 같은데……

김가온   (진지하게) 좋은 일 있지. 너랑 같이 있잖아.

윤수현   (순간 못 볼 꼴이라도 본 듯 소름 끼쳐서) 어우, 왜 이래 무섭게! 자꾸 장난칠래?

김가온   (미소 지으며) 진심인데.

윤수현   뭐지 진짜? 저번엔 갑자기 자전거 타자고 하질 않나. …너 혹시, (김가온을 바라보다가, 번뜩) 아픈 거야?! 심각한 거래? (벌떡 일어선다)

김가온   (쓴웃음을 짓는다. 윤수현의 두 손을 잡아 앉히더니) 그래, 이럴 줄 알았다. 밥이나 먹자.

윤수현   (고개를 갸우뚱한다)

불알친구로 토닥대며 살아온 세월이 너무 길다는 걸 새삼 실감하는 김가온.

11부. S#24-1. 세운상가 전망대 (낮)

커피를 들고 서 있는 김가온과 윤수현.

김가온   난 여기 오면 이상하게 맘이 편해지더라.

윤수현 왜?

김가온 글쎄…… (지붕이 지붕을 잇는 낡고 쇠락한 동네, 그리고 길 건너에 보이는 종묘의 푸른 나무들을 보며) 오래된 것들과, 그 보다 더 오래된 것들이 함께 있으니까?

윤수현 (이러다가 말끝에 자신을 놀리는 김가온의 패턴에 너무나 익숙해 예민하게 반응하며) 오래된 거? (김가온을 흘겨보며) 너 또 말장난할려구 그러지! 윤수현 참 오래됐다…… 곧 서른이네 어쩌구!

김가온 (어이없어 윤수현을 보다가 쓴웃음 지으며) 귀신이네. 역시 오래됐어.

윤수현 하! 우리가 한두 해냐? 패턴이 다 읽힌다, 읽혀.

김가온 (미소 지으며) 그래. 넌 내, 제일 오래된 사람이잖아.

윤수현 (순간 심쿵! 했다가 어색해서 태연한 척) 뭐래…… 너 진짜 뭔 일 있냐? 새삼스러운 소릴 하고 그래……

김가온 그냥. 요즘 옛날 생각이 많이 나서.

윤수현 (김가온을 가만히 보다가) 너 혹시…… 도영춘 일 때문에 힘든 거면 그러지 마! 내가 몰래 알아보고 있거든? 이감된 바로 그때 갑자기 전산 시스템 보수 작업이 있었던데.

김가온 (O.L.) 아니, 괜찮아. 그만해, 수현아.

윤수현 ?

김가온 그냥 이런저런 일을 겪다보니, 사람한테 진짜 중요한 게 뭘 까, 그런 생각이 들어. 세상엔 사랑하는 가족보다 돈을 택하는 인간도 있고, 분노에 눈이 멀어서 바로 곁에 있는 사람을 외롭게 하는 사람도 있더라구. (가족을 버리고 돈으로 달려가던 도영춘, 그리고 곁에 있는 엘리야를 외롭게 둔 강요한을 떠올린다)

윤수현 (의외의 이야기에 멍하다) 가온아……

김가온 이제부턴 진짜 중요한 일부터 먼저 해야겠다, 싶어. …영영 잃어버리기 전에. (윤수현을 가만히 본다)

윤수현 (진지한 김가온의 눈을 멍하니 보다가, 순간 찡그리며) 또 속을 줄 알았냐! 지난주에 빌려준 돈 갚으라 이거지! 내 당장 쏴주마. 딱 기다려. (핸드폰을 꺼내 주섬주섬 온라인 송금을 한다)

김가온 (어이없이 그런 윤수현을 보다가) …끝자리 속이기 없다.

윤수현 알았네요, 알았어.

김가온(N) (따뜻한 눈으로 윤수현을 가만히 보며, 간절한 마음의 소리로) 이 일만 끝내면, 그땐 꼭……

장난처럼 "사랑한다! 짜식아!"를 외쳐대곤 했지만 정작 이런 순간에는 설레면서도 어색함을 참을 수 없어 일부러 장난으로 얼버무리는 윤수현. 김가온을 슬쩍 보다가 얼른 눈을 피한다.

코멘터리(11부 50신, 50-1신): 11부 초고는 차경희 장관실에 강요한과 김가온, 윤수현이 나타나지 않고, 단지 수사관들이 차경희를 체포하러 찾아오자 차경희가 스스로 품위 있게 생을 마감하는 내용이었다. 그런데, 한발 더 나아가 이자리에 김가온이 있다면, 그리고 손에 피를 묻힌 김가온을 윤수현이 목격한다면 어떨까 하는 생각이 떠올라 그 방향으로 내용을 수정했다.

11부. S#50. 법무부장관실 (낮)

멍하니 책상 앞에 앉아 있는 차경희, 사무실 전화기를 힐끗 본다. 마치 강요한에게 전화할지 고민하는 듯한 분위기다. 이때, 노크 소리 들리더니 문이 열린다. 사십대 초반 남성(부장검사)과 삼십대 여성(검찰수사관, 장주임), 사십대 남성(검찰수사관, 김계장)이 들어온다.

부장검사 죄송합니다, 장관님. 저희와 같이 가주셔야겠습니다.

차경희 …긴급체포인가?

부장검사 죄송합니다. (고개를 숙인다)

차경희 (미소 지으며) 죄송하긴. 업무 수행하는 거 아닌가. 그런데, 부탁 하나 해도 될까?

부장검사 네?

차경희 (책상 위 시가 박스 뚜껑을 열어 시가 하나를 꺼내들고는) 마지막으로 혼자서 이거 하나만 피우고 가고 싶은데, 자리 좀

비워줄 수 있겠나?

부장검사 (곤란해하며) 장관님, 죄송합니다만, 그건……

차경희 (O.L.) 오부장, 자네가 우리 부 막내였을 때가 벌써 십 년도 넘었지? 그래, 모친은 건강하신가?

부장검사 (흠칫하더니) …네. 건강하십니다. 그때 병원도 알아봐주시고, 수술비까지 내주셔서…… 다 장관님 덕분입니다. (고개를 숙인다)

차경희 (수사관들을 보며) 김계장하고 장주임이지?

김계장 (놀라며) 예? 저희를 기억하십니까?

차경희 (미소 지으며) 지검 순시 마치고 회식할 때, 내 테이블에 앉았었지 않나. 일 잘한다고 소문났던데. 두 사람 다.

김계장 (몸 둘 바를 모른다) 감사합니다, 장관님. (고개를 숙인다)

부장검사 (갈등하다가 결심한 듯 수사관들에게 눈짓하며) …잠시 나가 있자.

세 사람, 차경희에게 목례하고 방 밖으로 나간다. 차경희, 손에 든 시가를 내려놓고는, 뭔가를 멍하니 바라본다. 시선을 따라가보면, 책상 한쪽에 올려놓은 작은 가족사진 액자다. 활짝 웃고 있는 이재경, 이영민, 그리고 차경희. 차경희, 웃는 듯 우는 듯 알 수 없는 표정을 잠시 짓다가, 책상 서랍을 여는데, 서랍 안에 권총이 들어 있다.

차경희   (나지막이) …영민아.

11부. S#50-1. 법무부장관실 부속실 (낮)

초조한 표정으로 차경희를 기다리고 있는 부장검사와 수사관들. 부장검사, 손목에 찬 시계를 힐끔 보는데, 갑자기 탕! 천둥 같은 총소리가 장관실 안에서 들린다! 마치 차경희의 마지막 시선에 비치는 모습인 양, 경악하며 장관실로 달려 들어오는 세 사람의 모습이 흐릿하게 툭툭 보이고, 시선 한가운데에는 가족 사진이 놓여 있다. 그중에서도 이영민의 모습이 클로즈업되다가, 암전. 그리고 암흑 위로 타이틀, **악.마.판.사.**

12부

코멘터리(12부 23신): 초고에는 김가온이 강요한의 저택에서 나간 후 강요한의 허전한 마음을 코믹하게 표현하는 아래 신이 있었는데, 조금 더 진지한 감정선이 낫겠다는 의견 등을 반영해, 강요한이 김가온과의 기억들을 떠올리며 달리기를 하는 신으로 교체했다.

12부. S#23. 강요한의 집, 체력 단련실 (밤)

(김가온이 강요한의 집을 나간 후) 웃통을 벗고 턱걸이 머신에 매달려 땀 흘리며 운동하고 있는 강요한. 힘을 줄 때마다 근육이 터질 듯하다.

강요한   (거친 호흡으로) 81, 82, 83······

집사   주인님? (턱걸이 머신에 달린 스피커를 통해 말하고 있다)

강요한   84, 85······ 왜!

집사   평소 운동치보다 과하십니다. 심박수가 정상 범위를 벗어나고 있습니다.

강요한   (귀찮다는 듯) 됐어!

집사   주인님, 중년에 접어들면 과한 운동은 해가······

강요한   (뛰어내리며 버럭한다. O.L.) 뭐야!

집사   (갑자기 평화로운 음악을 재생한다. '넬라 판타지아~')

강요한   (잠시 어이없어 혀를 차고는, 다시 운동기구에 매달린다) 88, 89······

집사   주인님?

강요한 (짜증난다는 듯, 운동은 계속하며) 또 왜?!

집사 (기계적인 목소리로) 주인님께서는 85까지 하신 후 멈추셨었
     습니다. 따라서 88이 아닌 86부터 하셔야……

     강요한, 턱걸이 머신에서 내려오더니 분노를 눌러 담은 표정
     으로 전원 코드를 뽑아버린다. 그때, 뒤에서 뭔가 싸한 느낌
     이 든다. 뒤돌아보자, 엘리야가 빤히 쳐다보고 있다. 한심하
     다는 듯 빤히 강요한을 바라보다가 휙 뒤돌아 나가는 엘리야.

강요한 (당황스러움을 애써 숨기며) 뭐가! 왜!

     강요한, 엘리야가 돌아보지도 않고 가버리자 한숨을 쉬더니,
     다시 턱걸이 머신에 매달린다. 입을 꾹 다문 채 운동에 몰두하
     는 강요한.

코멘터리(12부 후반부): 원래 대본 초고는 정선아가 김가온을 위험에 빠뜨리기
위해 역병 바이러스가 발견되었다는 동네에 일부러 김가온의 동네를 포함시키
고 죽창부대를 김가온 동네로 보내는 설정이었다. 그런데 촬영 장소인 김가온의
집 및 해당 동네는 이태원 쪽으로 실제 주민들이 살고 계신 곳이어서 전쟁 같은
극중 상황을 촬영하는 게 불가능했다. 이에 폐공단 지역에서 촬영하기로 하고,
죽창이 민정호를 미끼로 김가온을 형산동으로 불러내는 설정으로 수정했다.

12부. S#48. 김가온의 집, 방안 (낮)

요란한 사이렌 소리에 잠을 깨는 김가온.

김가온 뭐야. 민방위 훈련이야?

12부. S#49. 김가온의 집, 옥상 (낮)

경악한 채 옥상에서 도시 풍경을 내려다보는 김가온. 울려퍼지는 사이렌 소리 속에 온통 불길한 안개 같은 하얀 연기로 뿌옇다! 골목마다 방역 차량과 방역복을 입은 요원들이 소독제를 뿌려대고 있다. 놀라 뛰어내려가는 김가온.

12부. S#50. 김가온의 동네 (낮)

연기 때문에 쿨럭대며 뛰어내려온 김가온. 하얀 연기가 조금 가라앉자 믿어지지 않는 지옥도가 펼쳐진다. 방역 요원들이 허름한 살림집 안방까지 들어가서 무차별적으로 소독제를 뿌려대는 바람에, 동네 사람들은 기침하며 밖으로 나온다.
강제 연행하듯 동네 사람들을 끌고 가서 '사회적책임재단' 마크가 찍힌 승합차에 태우는 요원들. 승합차 옆에는 선거유세 차량같이 대형 스크린을 탑재한 차량이 서 있는데, 스크린에는 오진주가 안타까움 가득한 표정으로 호소하고 있다.

오진주(E) 주민 여러분. 역병 바이러스가 서울 곳곳에서 다시 발견되었습니다. 여러분의 생명과 안전을 위해 방역 당국의 조치에 부디 협조해주십시오. 우리는 반드시 다시 이겨낼 것입니다. 어떤 어려움이 있어도요. (눈물을 닦는다)

김가온, 충격받은 표정으로 오진주를 보다가, 고개를 돌리는데 뭔가를 본다. 복면 같은 산소마스크 차림의 괴한들이 강제 연행에 저항하는 동네 사람들을 쇠파이프로 구타하고 있다! 분노하며 그쪽으로 달려가려는 김가온. 하지만 방역 요원들이 김가온 앞을 가로막아 에워싼다. 요원들을 밀치며 발버둥치는 분노한 김가온의 눈에 비친 괴한들의 모습은, 분명히 죽창부대다. 그 가운데 신명난 듯 쇠파이프를 내리치다가 마스크를 슬쩍 올리며 히죽 웃는 괴한. 죽창이다!

13부

코멘터리: 초고에는 김가온과 윤수현이 자기도 모르게 진심을 털어놓은 후 급격히 가까워지는 시퀀스가 있었다. 비극적인 이별을 앞둔 두 사람에게 단 하루라도 신혼의 단꿈 같은 것을 꾸게 하고 싶은 욕심이었는데, 다시 읽어보니 오랜 시간 가족보다 더 가까운 친구로 지내온 이 두 사람에게는 이런 '급발진'보다 서로의 진심을 진실되게 털어놓는 게 더 중요하고, 특히 마음을 숨겨온 김가온이 그래야 한다는 생각이 들었다. 이에 방송된 내용으로 수정했다.

13부. S#14. 경찰청 앞 (밤)

무거운 표정으로 퇴근하는 윤수현. 정문 밖으로 나오다가 흠칫 놀란다. 벽에 기대 기다리고 있는 김가온.

김가온   수현아, 얘기 좀 하자.

윤수현   (굳은 표정으로) …난 할말 없는데.

김가온   (앞을 막으며) 수현아 제발!

윤수현   (김가온의 간절한 눈빛을 가만히 본다)

13부. S#14-1. 김가온의 집, 옥상 (밤)

김가온을 외면한 채 앉아 있는 윤수현. 그런 윤수현을 괴로운
눈빛으로 보는 김가온.

김가온   …미안하다, 수현아.

윤수현   …뭐가?

김가온   (괴로워하며) …너한테 그런 선택을 하게 해서.

윤수현   …그런 소린 필요 없다. 나 원래 그렇게 훌륭한 경찰 아니니
까.

김가온   수현아.

윤수현   (굳은 표정으로) 그런데 말야, …꼭 보였어야 했냐? 그런 꼴.

김가온   ……

윤수현   (고개를 돌려 김가온을 쏘아본다) 이 염치없는 자식아, 니가
어떻게 나한테 그런 꼴을 보여. 입이 있으면 말을 좀 해보라
고!

김가온   (고개를 숙이며) …미안해. 그 말밖엔 할말이 없어……

윤수현   (김가온을 노려본다)

김가온   알아. 강요한의 방법이 옳지 않은 거 알고, 이런 식으로 세상
을 바꿀 수 없는 것도 알고, 판사가 이런 짓 하는 게 범죄인
것도 아는데.

윤수현   ……

김가온   못 견디겠어서, …이렇게라도 안 하면 정말 미쳐버리겠어서!

윤수현   (입을 꾹 다문 채 김가온을 바라보고만 있다)

김가온   (괴로워하며) 미안해, 수현아…… 니 곁에 있을 자격도 없는 놈인데, 어렸을 때부터 지금까지, 평생 이런 꼴만 보이고…… 그래도 뻔뻔스럽게 니가 없으면 못살겠어서, 정말 죽을 것 같아서…… (눈물을 흘린다)

윤수현   (김가온을 노려보며) …개똥같은 소리.

김가온   (놀라서 윤수현을 본다)

윤수현   정말 못 참겠다. 니 개똥같은 소리를 언제까지 들어줘야 될지.

김가온   수현아.

윤수현   (김가온의 멱살을 움켜잡으며) 이 멍청한 자식아! 그렇게 모르겠어?! 자격이고 뭐고 다 필요 없고! 옳고 그르고 세상이 어떻게 되고 다 모르겠는데! (그만 눈물이 터져나온다) 제발 위험한 꼴만 보이지 말라고! 울지 말고, 불행해지지 말고, 자기 인생 망가뜨리는 짓 좀 하지 말고!

김가온   (눈물 흘리며 윤수현을 하염없이 본다)

윤수현   (울음이 섞인 목소리로) 난 그거면 되는데, 그냥 너 하나면 되는데…… 이 멍청한 자……

그 순간, 김가온, 우는 윤수현의 두 볼을 붙잡고는, 격렬하게 입을 맞춘다. 눈물범벅인 채로 서로를 끌어안으며 정신이 나간 듯 입을 맞추는 두 사람.

13부. S#14-2. 김가온의 집, 방안 (밤)

김가온, 마치 신혼집 문지방을 넘는 새신랑처럼 윤수현을 안아들고 조심조심 걸어 침대 위에 윤수현을 내려놓는다. 김가온의 목을 안은 채 하염없이 김가온의 눈을 바라보는 윤수현. 김가온, 천천히 윤수현의 입술에 자신의 입술을 갖다댄다. 윤수현, 눈을 감는다.

13부. S#25. 김가온의 집, 방안 (낮)

창으로 들어오는 아침 햇살에 잠이 설핏 깬 김가온, 몸을 일으키는데 상반신을 벗은 상태다. 옆으로 고개를 돌리는데, 이미 출근 준비를 다 마치고 프렌치토스트를 접시에 담아 김가온 쪽으로 들고 오던 윤수현과 눈이 마주친다! 순간 자기도 모르게 화들짝 놀라 침대 시트로 몸을 휘감으며 윤수현을 외면하는 김가온. 윤수현도 화들짝 놀라 얼른 외면한다. 간밤이 온통 꿈이었던 듯 적응이 안 되는 김가온, 버벅대며 입을 뗀다.

김가온   수, 수현아……
윤수현   (얼른 접시를 침대에 내려놓으며) 먹고 출근해. 나 먼저 나간다.
김가온   (접시를 보는데, 토스트가 새까맣게 탔다)

윤수현   (괜히 짜증내며) 처음이라 그래, 처음이라. 까만 덴 알아서
        긁어내고 먹어.

김가온   (미소 지으며) 고마워. 잘 먹을게.

윤수현   (문 쪽으로 향하다가 멈추며) …저녁은 니가 해라.

김가온   (의아해하며) 저녁?

윤수현   (결심한 듯 의연한 어조로) …아침은 내가 할게. 오늘부터.

김가온   (윤수현의 말뜻을 알아듣고는 자기도 모르게 침대를 짚고 일어
        서며) 수현아!

윤수현   (말해놓고는 가슴이 뛰어서 후다닥 나가려다가 문간에 머리를
        콩 찧고는 아파하며 뛰어나간다) 다녀올게!

김가온   (침대 시트로 감싸고 서서 윤수현의 뒷모습을 바라본다. 감출
        수 없는 기쁨의 미소가 번진다)

13부. S#25-1. 김가온의 집, 옥상 (밤)

옥상 난간에 걸터앉아 골목길을 하염없이 내려다보던 김가
온, 윤수현이 나타나자 활짝 웃으며 크게 손을 흔든다.

김가온   수현아~

윤수현   (위를 올려다보며 씨익 웃는다. 혼잣말로) 뭐야, 기다리고 있
        었던 거야? (마주 손을 흔든다)

그런데 윤수현, 작은 캐리어 가방 하나를 끌고 오고 있다.

김가온   거기 잠깐만 있어! 내가 내려갈게! (얼른 뛰어내려간다)
윤수현   (미소 짓는다)

13부. S#25-2. 김가온의 집 앞 (밤)

뛰어내려와 윤수현 앞에 서서는 가쁜 숨을 쉬는 김가온.

윤수현   애는, 뭘 그렇게 뛰어? 뭐가 급하다고.
김가온   (윤수현의 손에서 캐리어를 채가며) 이건 내가 갖다놓을게.
　　　　그리고 우리, 장 보러 가자.
윤수현   장?
김가온   (윤수현을 보고 웃으며) 장 봐야지. …식구가 생겼는데.
윤수현   (쑥스러운 듯 외면하며 중얼중얼댄다) 장 볼 게 뭐 그렇게 있
　　　　나? 나 그렇게 많이 안 먹는데……
김가온   (캐리어를 끌고 앞서가며) 많이 해주고 싶어서, 내가.
윤수현   (배시시 미소 지으며 따라가다가) 야, 근데, 김가온!
김가온   응?
윤수현   식구가 뭐니, 식구가. 뭐 좀더 로맨틱한 거 없어?
김가온   처음이라 그래, 처음이라.

윤수현   …하긴 그렇지. (씩 웃더니 김가온 옆으로 가서 슬쩍 김가온의
         손을 잡는다)

서로 미소 짓고는 손을 잡고 집으로 향하는 오르막길을 걷는
두 사람.

S#30. 대형 마트 안 (밤)

다정하게 이것저것 장을 보는 김가온과 윤수현. 카트에 쌀도
담고, 과일과 야채도 담고, 수건도 담고 이것저것 고르고 있
다. 김가온, 귀여운 커플 잠옷을 보고는 걸음을 멈추는데, 윤
수현, 질색하며 카트를 끌고 가버린다. 웃으며 윤수현을 쫓아
가는 김가온. 그런데 윤수현, 갑자기 멈추더니 멍하니 뭔가를
바라본다. 의아해하며 따라 보는 김가온, 놀란다. 가전제품
코너 TV 스크린에 가득 보이는 비장한 민정호의 얼굴. 강요한
사퇴 촉구 및 시범재판부 해체 요구 기자회견을 하고 있다!

16부

16부. S#71. 사법개혁 공청회 행사장 (낮)

증인석처럼 따로 마련된 자리에 앉은 김가온. 헤드테이블에는 새로 집권한 여당 법사위원장, 새로 구성된 대법원 법원행정처 차장, 법무부차관이 권위적인 표정으로 앉아 있고, 좌우로 길게 놓인 테이블에는 변호사, 교수, 시민단체 대표, 상담 전문가 등 참석자들이 죽 앉아 있다.

위원장   (거드름을 피우며) 에, 우리 새 집권여당은 절대로! 허중세 정권의 잘못을 되풀이하지 않을 겁니다! 대중 인기에 영합하는 포퓰리즘 사법을 극복하고, 진정한 법치주의를 바로 세우기 위해, 오늘 이 자리를 마련했습니다. 자, 우선 우리의 국민적 영웅, 김가온 판사님께 박수부터 보냅시다!

당황하는 김가온. 우레 같은 박수에 일어서서 인사하고는 앉는다.

위원장　김판사님, 강요한 사건 같은 불미스러운 일이 다시 없으려면, 무슨 묘안이 있겠습니까?

김가온　(불편한 표정으로) 불미스러운 일…… 입니까?

위원장　강요한 같은 범죄자가 휩쓸리기 쉬운 대중을 선동해서 신성한 법정을 모독하고…… 창피해서 원, (혀를 찬다) 후진국에서나 일어날 만한 일 아니겠습니까?

김가온　(위원장의 말에 환멸을 느끼지만 감정을 억제하며) …강요한은 영웅도 아니지만, (위원장을 응시하며) 단순한 범죄자도 아닙니다. 사람들이 그저 어리석어서, 휩쓸리기 쉬워서 강요한한테 열광했다고 생각하십니까?

위원장　(의외의 반응에 살짝 당황하며 얼버무린다) 어…… 허허허, 역시 젊은 분이라 혈기가 왕성하시네. 근본 원인을 찾자, 뭐 이런 말씀인 거 같은데, 그게 금방 되겠습니까? 그보단 우선, 뭔가 임팩트 있는 대책을 발표해서 민심부터 수습하는 게 순서지요. 허허허허허.

김가온(N)　(환멸을 느끼며 표정이 굳는다) …똑같구나. 바뀌는 건 아무것도 없어.

차관   맞습니다. 의원님. 저희 검찰에서는 법관 선발 절차를 강화
해서 강요한 같은 위험분자를 걸러낼 수 있도록 법관 선발 권
한을 법무부로 이관하는 방안을……

차장   (O.L.) 그게 무슨 말도 안 되는 소립니까! 사법독립 침햅니다!
의원님. 그보다는, 국민적 인기가 드높은 우리 김가온 판사를
재판장으로 올려서 새로운 시범재판부를 구성하는 것이……

김가온   (어이없다. 차장을 쳐다본다)

위원장   오, 그거 괜찮은 대책입니다.

한세상(E) 하이고, 대책은 옘병!

좌중, 놀라 뒤돌아본다. 참석자들 테이블 맨 구석 자리에 늙
수그레한 남자가 앉아 있다. 자리에 있는 명패는 '광주지법
해남지원 부장판사 한세상*'

한세상   각자 지 할일들을 잘했으면 이런 일이 왜 있겠나! 재판이나
잘할 일이지 대책은 얼어죽을…… (투덜댄다)

좌중, 찬물을 끼얹은 듯 썰렁해지는데, 한세상 옆에 앉아 있
던 여성 한 명이 미소 짓더니 덧붙인다. 그 앞에 놓인 명패는
'아동학대 문제 전문가 차우경**'

* 〈미스 함무라비〉의 주인공.
** 〈붉은 달 푸른 해〉의 주인공.

차우경   (헤드테이블 쪽을 보며) 맞아요. 여러분이 할일을 안 하면, 누군가 고통받습니다. 그 고통이 괴물을 만들어요. 사람들이 분노하는 데는, 이유가 있는 거예요.

헛기침하며 외면하는 헤드테이블의 꼰대들. 공청회 내내 환멸을 느끼던 김가온, 처음으로 미소 짓는다. 그래도 아직은 어른들이 있구나. 묵묵히 제 할 일을 하는 이들이 있구나. 한세상과 차우경을 보며 희망을 품어보는 김가온.

◇ 5~7부 사이에 넣으려 했던 미확정 신

코멘터리: 김가온과 윤수현의 학창 시절 회상 신을 추가로 넣어볼까 했었는데, 워낙 할 이야기도 많고 분량이 넘쳐나는 우리 드라마의 특성상 과거 회상 신을 길게 넣는 것에는 제작진의 반대가 많았다.

S#. 과거 회상, 김가온과 윤수현 고등학생 시절 (밤)

윤수현, 학원 끝난 후 한적한 밤길을 혼자 걸어가며 김가온과 통화중이다.

윤수현   김가온! 숙제 가져다주는 것도 이번이 마지막이다? 거의 다
         왔어 나. 어디야.

그때 으슥한 골목에서 울음소리와 욕설이 들려온다. "잠깐
만" 하고 전화를 끊은, 호기심과 정의감 넘치는 윤수현, 골목
안쪽을 빼꼼히 들여다본다. 골목 안쪽에는 고등학생 양아치
7~8명이 중학생 두 명을 삥뜯고 있다. 잠시 후.

윤수현   (쩌렁쩌렁하게) 쪽팔리지도 않냐 이 그지 새끼들아!

윤수현의 갑작스러운 등장에 양아치 무리가 한눈판 사이, 중
학생 두 명은 빠르게 도망친다. 뒤늦게 아이들이 도망쳤다는
걸 알게 된 양아치 무리의 분노는 윤수현에게 향한다.

양아치1   너 뭐야? 죽을래?
윤수현   다 큰 애들 일곱 명이서 중학생 삥이나 뜯는 게 한심해서 그
         렇다, 왜!
양아치2   애들아. (윤수현 쪽으로 고갯짓한다)

순식간에 양아치들에게 포위당한 윤수현. 잠깐 당황하지만,
핸드폰으로 시간을 슬쩍 확인한 후 양아치들을 슥 스캔한다.
머릿속으로 여러 가지 계산을 하며 싸움 준비 자세를 취하려

는 윤수현. 그때.

김가온   (쩌렁쩌렁하게) 수현아!
윤수현   …가온아?

윤수현의 이름을 쩌렁쩌렁 외치며 골목을 전속력으로 질주해 들어오는 김가온. 다짜고짜 맨 앞 양아치에게 강한 펀치를 날린다. 황당함과 분노가 가득한 표정의 양아치들, 김가온에게 달려들기 시작하고, 곧 아수라장 싸움판이 된다. 어느새 자연스럽게 한쪽 뒤로 빠지게 된 윤수현. 가만히 살펴보니, 호기롭던 시작은 어디 가고, 김가온만 얻어지고 있다!

윤수현   (어이없다는 듯) 허, 하여간 김가온……

순식간 싸움판에 들어간 윤수현, 다양한 무술과 싸움 기술을 선보이며 잽싸게 모든 양아치들을 제압한다. 전부 제압한 후 숨을 몰아쉬며 김가온이 있는 쪽을 돌아본다. 정신을 잃었는지 구석에 눈을 감은 채 쓰러져 있는 김가온. 윤수현, 그런 김가온에게 다가가 김가온을 흔들어 깨운다.

윤수현   가온아! 정신 차려!
김가온   (슬며시 눈을 뜨다가, 눈앞의 윤수현을 보고 벌떡 일어나 윤수

현의 어깨를 잡으며) 윤수현! 너 괜찮아? (윤수현의 몸을 이
리저리 돌려보며) 어디 다치진 않았고?

윤수현   (언어터진 김가온의 얼굴을 보며 어이없다는 듯) 지금 니가 할
소리야? 다 언어터져가지고……

갑자기 멜로드라마 분위기가 가득하다. 로맨틱한 배경음악이
흐른다.

윤수현   (곧 울 것 같은 표정으로) 거기서 왜 나서!

김가온   (다정한 미소를 지으며 윤수현 머리에 손을 턱 올린다) 너가
위험한데 그럼 어떡하냐……

윤수현   (감동받은 목소리로) 가온아……

이때 분위기가 전환되며, 로맨틱한 배경음악이 뚝 끊긴다. 그
대신 들려오는 경찰차 사이렌 소리.

윤수현   (울상으로) 그게 아니라…… 나 아까 경찰 불렀단 말야!

김가온   …뭐?!

순간 윤수현 머리 위에 올려둔 손으로 윤수현 머리를 누르며
지지대 삼아 벌떡 일어나는 김가온. 발을 동동 구른다.

김가온 아, 나 한 번만 더 깡패 아저씨(민정호) 경찰서로 부르면 죽
      는데 왜 불러!

윤수현 그걸 내가 알았냐? 그러게 왜 나서 멍청아!

      김가온과 윤수현이 티격태격하는 사이 코앞까지 가까워진 사
      이렌 소리. 차 시동이 꺼지고 경찰차에서 경찰들이 내리는 소
      리가 들린다.

김가온 (경찰들이 가까워진다는 걸 인지한 후) 아 씨…… 됐고!

      김가온, 윤수현의 손을 덥석 잡는다.

김가온 뛰어!

      김가온과 윤수현, 경찰들과 반대 방향으로 전력 질주한다. 다
      짜고짜 끌고 뛰기 시작했지만 혹여나 윤수현이 넘어질까 걱
      정되는지 뒤돌아보는 김가온, 윤수현과 눈이 마주치고, 누가
      먼저 할 것 없이 동시에 웃음을 터뜨린다. 야밤의 도주 속에서
      피어나는 윤수현과 김가온의 웃음꽃.

지은이 문유석

소년 시절, 좋아하는 책과 음반을 쌓아놓고 홀로 섬에서 살고 싶다고 바랐을 정도로 책 읽기와 음악을 좋아했다. 1997년부터 판사로 일했으며 2020년 법복을 벗고 사임했다. 책벌레 기질 탓인지 글쓰기도 좋아해 법관으로서, 한 시민으로서, 느끼고 생각한 것들을 틈나는 대로 기록해왔다.

칼럼 「전국의 부장님들께 감히 드리는 글」로 전 국민적 공감을 불러일으킨 바 있으며, 자신의 원작을 바탕으로 한 JTBC 드라마 〈미스 함무라비〉의 대본을 직접 맡아 다시 한번 화제를 모으기도 했다. 지은 책으로 『개인주의자 선언』 『미스 함무라비』 『쾌락독서』 『판사유감』이 있다.

악마판사 오리지널 대본집 B컷들

ⓒ 문유석 2021

지은이 문유석

펴낸곳 (주)문학동네 | 펴낸이 염현숙

출판등록 1993년 10월 22일 제406-2003-000045호

주소 10881 경기도 파주시 회동길 210

전자우편 editor@munhak.com | 대표전화 031) 955-8888 | 팩스 031) 955-8855

문의전화 031) 955-2655(마케팅) 031) 955-2697(편집)

문학동네카페 http://cafe.naver.com/mhdn | 트위터 @munhakdongne

북클럽문학동네 http://bookclubmunhak.com

비매품입니다.

www.munhak.com